CUÉNTAME un CUENTO

Un libro de cuentos clásicos
para soñar

LIBSA

© 2014, Editorial LIBSA
C/ San Rafael, 4
28108 Alcobendas (Madrid)
Tel.: (34) 91 657 25 80
Fax: (34) 91 657 25 83
e-mail: libsa@libsa.es
www.libsa.es

Colaboración en ilustraciones: Susana Hoslet Barrios
Edición y maquetación: Equipo editorial LIBSA

ISBN: 978-84-662-2774-2

Contenido

El libro de la selva

Hace mucho tiempo, Baghera, la pantera negra, encontró un bebé abandonado en la selva y se lo entregó a Rama, la loba, para que lo criara junto a sus cachorros con el nombre de Mowgli.

Mowgli vivía feliz entre los animales salvajes, pero al crecer los peligros de la selva eran cada vez más serios: el malvado tigre Shere Kan había regresado y quería vengarse de los humanos a través de Mowgli. Por eso, Baghera pensó que era mejor devolverlo a la civilización y juntos iniciaron el camino de regreso a la aldea del hombre. Pero Mowgli no quería dejar la selva…

Decidió quedarse con el simpático y perezoso oso Baloo, que le iba a enseñar a cantar y bailar y a vivir la vida con felicidad. Sin embargo, en un descuido, Mowgli fue raptado por Louie, el rey de los monos, que quería aprender a hacer fuego para ser tan poderoso como los hombres.

Mowgli logró escapar con la ayuda de sus amigos, que intentaron convencerle de que regresara con los suyos.

Enfadado, Mowgli huyó al interior de la selva, donde le estaba esperando el tigre Shere Kan. Mowgli se enfrentó a él y, a pesar de tener menos fuerza, gracias a su habilidad e inteligencia, logró vencerlo y expulsarlo de la selva.

Por fin, Baloo y Baghera acercaron a Mowgli a la aldea del hombre, donde, al ver la belleza de una preciosa niña, Mowgli cambió de idea y decidió quedarse con los suyos, aunque alguna vez regresó a la selva en busca de sus antiguos amigos.

La inteligencia es lo que hace al ser humano el animal más poderoso de la naturaleza a pesar de su debilidad física.

El patito feo

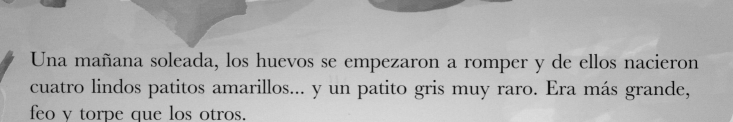

Aquella primavera,
mamá pata
incubaba sus huevos
y esperaba con ilusión
que se abrieran.

Una mañana soleada, los huevos se empezaron a romper y de ellos nacieron cuatro lindos patitos amarillos... y un patito gris muy raro. Era más grande, feo y torpe que los otros.

Aunque su mamá lo quería mucho, el pobre patito feo se sentía muy solo, y cuando decidió que ya no podía aguantar más tiempo las risas crueles de los demás, se marchó del estanque. Se internó en el bosque, pero se hizo de noche y tuvo que parar, temblando de frío y de miedo.

Al día siguiente el patito encontró una granja. Cansado y hambriento, entró y allí un gato y una gallina le ofrecieron su hospitalidad.

Los días se sucedieron entre el viento y la nieve, y una mañana helada el patito salió a pasear un poco y vio pasar volando unas aves muy bellas. «Me gustaría ser como ellas», pensó el patito con admiración.

Esas aves eran cisnes, pero el patito feo no lo sabía y regresó a la granja. Por fin, pasó el invierno y con la nueva primavera, aquel patito feo y raro, que ahora había crecido, reapareció convertido en un hermoso cisne del que nadie volvió a burlarse jamás, pues ahora era la criatura más elegante del estanque.

Nunca se debe juzgar a nadie por su aspecto externo, ya que la belleza está en el interior de un corazón bondadoso.

La Sirenita

Sirenita era la hija más pequeña y más hermosa del rey del mar. Era una criatura adorable, con la voz más bella del océano y solía cantar para su padre y para toda la Corte.

Sirenita tenía la costumbre de guardar los objetos de los humanos que caían al mar por culpa de los naufragios, y estaba fascinada por su mundo de tal manera que un día se atrevió a salir a la superficie y vio a un guapo marinero en la cubierta de un barco.

Se enamoró de él al instante, a pesar de saber que el amor entre un humano y una sirena era imposible. Mientras en el fondo del mar las hermanas de Sirenita jugaban y se divertían, ella nadaba con melancolía y subía una y otra vez a ver a su enamorado.

En una de esas salidas, tuvo lugar una terrible tempestad que hundió el barco y mandó al fondo marino al apuesto marinero. Se hubiera ahogado si Sirenita no lo hubiera rescatado dejándolo a salvo en la orilla.

Desde ese día, Sirenita estaba triste, solo pensaba en cómo volver a ver al marinero, pero ella no podía salir a tierra con su cola de pez, de manera que tomó una decisión: se fue a ver a la bruja del mar, capaz de hacer todo tipo de magia. La bruja le dio una pócima para que su cola de pez se transformara en unas piernas y pudiera vivir en la superficie junto a su amado, pero a cambio perdería su hermosa voz.

Así ocurrió: el marinero recogió a Sirenita en la playa y a pesar ser muda y no poder expresar su amor, él comprendió su silencio y cayó enamorado de la dulce muchacha. Gracias a ese amor tan grande, con el tiempo, Sirenita pudo recuperar su voz y así vivieron los dos felices el resto de su vida.

El amor puede vencer cualquier obstáculo.

El lobo y los siete cabritos

El día en que la mamá de los siete cabritos tuvo que salir de compras, dijo a sus hijitos:

—Volveré enseguida, ¡no abráis la puerta a nadie!

Los cabritos le prometieron ser prudentes y se quedaron jugando en casa. Pero el astuto lobo, que siempre esperaba escondido una oportunidad para comerse a los tiernos cabritos, llamó a la puerta.

—Soy vuestra mamá —dijo.

—Pasa la patita por debajo de la puerta para ver si eres nuestra mamá —contestaron los pequeños.

El lobo hizo lo que le pedían.

—Tienes la voz ronca y tus patas no son blancas —dijeron entonces los cabritos—. ¡Tú no eres nuestra mamá!

Entonces el lobo se dirigió al molino, se comió una docena de huevos para aclararse la voz y además introdujo la pata en un saco de harina para dejarla blanca y suave.

Con esos trucos, los cabritos creyeron
que era su mamá y, confiados, abrieron la
puerta. Entonces el lobo se los fue comiendo uno a
uno, excepto al más pequeño, que se escondió en la caja
del reloj de pared.

Cuando mamá cabra regresó a casa, su hijo pequeño le contó lo
que había ocurrido y los dos juntos fueron al río, donde encontraron
al lobo durmiendo la siesta, reponiéndose tras el festín. Aprovechando
que dormía, le abrieron el vientre y rescataron a los cabritos; en su
lugar, le metieron grandes piedras en la tripa y la volvieron a coser.
Cuando el lobo se despertó y se inclinó a beber, por el peso de las
piedras, cayó de cabeza al río mientras mamá y los siete cabritos
daban saltos de alegría.

**Las apariencias engañan, así que
debemos ser precavidos y no fiarnos
de quien no debemos.**

Caperucita roja

Caperucita roja vivía feliz en una casita del bosque. Un día, su mamá le mandó ir a casa de su abuelita, que estaba enferma, para que le llevara una cesta con pan y dulces…

Su mamá le advirtió: «Caperucita, no te apartes del camino más corto, ya que en el bosque hay lobos». «Sí, mamá», contestó la niña.

Caperucita iba cantando por el camino que su mamá le había indicado rodeada de los animalitos del bosque, cuando de repente se encontró… con un lobo.

El malvado animal le preguntó: «Caperucita, ¿dónde vas?». «A casa de mi abuelita, a llevarle pan y dulces», contestó la niña. El lobo fingió ayudarla indicándole el camino más corto a la casa de la abuelita, pero en realidad la estaba engañando; llegó antes a la casa de la abuelita, se la comió y se disfrazó con sus ropas para esperar a la niña.

Cuando Caperucita llegó a la casa, notó algo raro: «Abuelita, ¡qué ojos más grandes tienes!», dijo la niña extrañada. «Son para verte mejor», contestó el lobo. «Abuelita, abuelita, ¡qué orejas tan grandes tienes!» exclamó Caperucita. «Son para oírte mejor», dijo el animal. «¡Y qué boca más grande tienes!»… «¡Es para comerte mejor!», y el lobo se abalanzó sobre la niña.

Afortunadamente, pasaba por allí un leñador que, al escuchar los gritos de Caperucita, se acercó y obligó al lobo a devolver a la abuelita.

Los niños deben seguir los consejos de sus padres y nunca fiarse de los extraños.

Los músicos de Bremen

Un burrito que había escapado de su dueño porque no lo trataba bien iba caminando por el campo cuando se encontró con un perro.

«Mi amo me ha abandonado», le dijo. El burro le contó que sabía tocar la flauta y que pensaba ir a la ciudad de Bremen para ganarse la vida allí. Como el perro sabía tocar el tambor, decidieron ir juntos y, andando por el camino, se encontraron con un gato y un gallo, también abandonados por sus amos. Como el gato sabía tocar el acordeón y el gallo cantaba muy bien, los cuatro se hicieron amigos y decidieron ir juntos a Bremen y formar una orquesta. Pero la noche se les echó encima y, cansados y hambrientos, buscaron un lugar donde dormir.

Cerca de allí divisaron una casa con luz y se acercaron a pedir ayuda. Pero descubrieron que la casa servía de refugio a una banda de ladrones, que escondían allí un gran botín.

Entre los cuatro urdieron un plan para acabar con los bandidos: el perro se subió sobre el burro, el gato sobre el perro y el gallo sobre el gato y se pusieron a tocar y cantar todos a la vez. Como estaba oscuro, los bandidos vieron una extraña figura, oyeron mucho ruido y pensaron que era un ser embrujado, así que huyeron a toda prisa.

Los cuatro amigos se quedaron a vivir en la casa, pues con el botín de los ladrones jamás les hizo falta trabajar. Nunca llegaron a Bremen ni se hicieron músicos, pero todos los días tocaban sus instrumentos y se sentían felices de poder hacer lo que más les gustaba lejos de sus malvados amos.

Se puede conseguir cualquier cosa con la ayuda de tus amigos.

El soldadito de plomo

Érase una vez una habitación donde vivían un soldadito de plomo y una dulce bailarina, entre otros muchos juguetes.

El soldadito y la bailarina estaban enamorados y eran muy felices, pero allí vivía también un muñeco de resorte que amaba en secreto a la bailarina y por tanto envidiaba al soldadito. Por eso, un día que los dueños se habían dejado la ventana abierta, aprovechó para empujar al soldadito a la calle.

Fueron unos niños los que encontraron tirado al soldadito y se pusieron a jugar con él:

—Tú serás capitán de barco —dijo uno de ellos.

Y lo metió en un barquito de papel dejando que el viento lo llevara por los charcos hasta llegar a una alcantarilla. Una enorme y feroz rata atacó al barco, pero el valiente soldadito solo pensaba en la bailarina y se defendió dándole un golpe con su pequeña espada en el hocico.

El barquito de papel siguió su camino y fue a parar al mar, donde un pez se lo tragó. Entonces el pez fue a caer en las redes de un pescador que casualmente vendió el pez al dueño del soldadito. De esta forma tan especial, el soldadito regresó junto a su amada bailarina y al arrepentido muñeco de resorte.

Algún tiempo después, ocurrió que el soldadito fue a caer accidentalmente en la chimenea. Esta vez el muñeco de resorte saltó para salvarlo, pero solo consiguió empujar también sin querer a la bailarina hacia las llamas. Así, la pareja de enamorados se fundió con el calor, pero su amor permaneció unido para siempre, porque al apagarse las llamas encontraron un corazón de plomo entre las brasas.

El amor verdadero puede vencer incluso a la muerte.

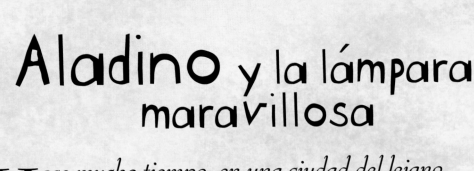

Aladino y la lámpara maravillosa

Hace mucho tiempo, en una ciudad del lejano Oriente, vivía con su madre un joven despreocupado y alegre llamado Aladino.

Un día, Aladino se encontró con un anciano que le pedía ayuda:

—¡Por favor, joven! —exclamó—. Si me ayudas a recuperar una lámpara que se me ha caído a una gruta, te daré a cambio este anillo.

Aladino se apiadó del anciano, así que se quedó con el anillo y bajó a la gruta en busca de su lámpara. Al ver que el anciano no quería ayudarle a salir, sino únicamente quedarse con la lámpara, comprendió que le había traicionado y decidió no dársela.

Más tarde, cuando volvió a su casa y le enseñó a su madre la lámpara, ella se puso a limpiarla y comenzó a frotarla para sacarle brillo. Entonces surgió de la lámpara un genio que les concedió todas las riquezas del mundo: oro, piedras preciosas y un magnífico palacio para que vivieran como reyes.

Entonces Aladino se enamoró de la bella princesa del reino y, como era tan rico, pudo casarse con ella.

Pero no todo iba a ser felicidad para los recientes esposos, ya que el malvado anciano quería vengarse de Aladino y engañó a la princesa para que le cambiara la lámpara del genio, que parecía vieja y sucia, por otra nueva y reluciente. Por fortuna, el inteligente Aladino había conservado el anillo, que era mágico y también poseía un genio dentro.

Gracias a la ayuda del genio, Aladino pudo deshacerse del malvado anciano para así vivir muy feliz con su esposa el resto de su vida.

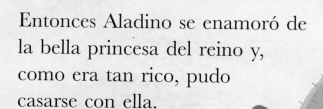

Quien miente y promete algo que no va a cumplir nunca podrá vencer a los que tienen un corazón noble.

Los viajes de Gulliver

Un buen día, muy temprano, Gulliver, un aventurero inglés, se embarcó hacia un país desconocido en un barco mercante.

La travesía comenzó como siempre había soñado, pero una tormenta terrible se desencadenó en el mar haciendo naufragar al barco. Por fortuna, Gulliver pudo saltar al agua y nadó hasta la costa, donde quedó desmayado después de tan gran esfuerzo.

Cuando despertó, estaba atado al suelo con frágiles estacas y unos hombrecitos le miraban con una expresión entre el miedo y la curiosidad. Había llegado al país de Liliput, donde todos los habitantes eran diminutos y él resultaba ser un inmenso gigante.

Poco a poco, Gulliver se ganó la confianza de los liliputienses ayudándoles con su enorme fuerza y su gran tamaño, pero también era una carga para ellos, pues comía mucho y necesitaba más espacio, así que al poco tiempo decidió marcharse. Construyó una barca y se hizo de nuevo a la mar.

Cuando volvió a tocar tierra, se encontró en otra situación igual de extraña: ¡Esta vez todos los habitantes eran enormes gigantes! Y Gulliver fue vendido a una familia como simple juguete de la hija pequeña. La niña lo trataba bien, pero él estaba harto de servir de juguete y una tarde aprovechó que su dueña dormía para escapar.

Caminó por el campo intentando regresar a su patria, pero lo que ocurrió fue que un águila lo apresó con sus garras y se lo llevó sobrevolando el mar hasta depositarlo en un barco que lo llevó de vuelta a Inglaterra, donde se hizo famoso escribiendo libros de viajes por tierras desconocidas.

Todos podemos ser muy grandes o muy pequeños, así que es mejor conducirse por la vida con humildad.

Pulgarcita

Había una vez una mujer que deseaba, sobre todas las cosas, tener un hijo, pero no era capaz de concebirlo.

Un día, una anciana le regaló unas semillas mágicas y la mujer, confiada, las plantó y esperó. A los pocos días, creció una flor y cuando se abrió, apareció en su interior una niña muy, muy pequeñita, a la que llamó Pulgarcita.

La mujer quería a Pulgarcita como a su propia hija y la cuidaba con amor, pero un día en el que la niña estaba paseando por el jardín, se encontró con un sapo que, al verla, decidió casarla con su hijo. Para que no se le escapara la novia, raptó a Pulgarcita y la dejó sola y abandonada sobre una hoja en mitad del estanque. La niña se quedó llorando desconsoladamente, pensando en la triste suerte que la esperaba si se casaba con un sapo...

Es cierto que era de su mismo tamaño, ¡pero ella era una niña, no un animalito! Por suerte, unos peces que nadaban cerca escucharon sus lamentos y la sacaron del estanque tirando de la hoja.

Ya en tierra, Pulgarcita se encontró con otro pequeño animal: era un saltamontes que también deseaba casarse con la niña, pero cuando se la presentó a sus amigos, los otros insectos, todos pensaron que era muy rara, así que el saltamontes, avergonzado, también la dejó abandonada. Afortunadamente, se encontró con una amable ratoncita que se apiadó de ella y la invitó a vivir en su madriguera.

Una noche Pulgarcita encontró a una golondrina herida y la cuidó con cariño. Para agradecérselo, cuando el pajarito se curó, la llevó volando de vuelta a casa, donde su madre la recibió con los brazos abiertos.

Siempre te devolverán el bien si haces el bien.

Blancanieves

Todos los días, la reina preguntaba a su espejo mágico: «Espejo, espejito, ¿quién es la mujer más hermosa del reino?».

Y el espejo respondía: «Eres tú, mi reina». Pero un día, el espejo contestó: «Existe otra que te aventaja en hermosura: la princesa Blancanieves».

La reina no podía soportar que su hijastra Blancanieves terminara siendo más bonita que ella, así que ordenó a uno de sus guardias que la llevara al bosque y la matara, pero el soldado sintió lástima de la hermosa niña y la dejó escapar. Blancanieves vagó sola y perdida entre los árboles hasta que encontró una casita en mitad del bosque en la que vivían siete bondadosos enanitos. Cuando escucharon su triste historia, le ofrecieron que se quedara a vivir con ellos lejos de la madrastra.

Pero la felicidad no duró mucho: la reina, que además era una bruja, se enteró de que Blancanieves seguía viva y tramó un malvado plan: se disfrazó de anciana y fue a la casita, donde, aprovechándose de su inocencia, le dio de comer una manzana envenenada.

Nada más morderla, Blancanieves cayó al suelo y así la encontraron los enanitos.

Enfurecidos, persiguieron a la bruja y la empujaron
por un precipicio, pero con esa venganza no lograron
despertar a Blancanieves y pensando que había muerto,
la velaron en un ataúd de cristal.

Un príncipe que paseaba por el bosque, al ver tan
bella a la princesa, no pudo evitar besarla y ese
beso de amor le devolvió la vida. Blancanieves y
el príncipe se casaron y fueron muy felices.

Los envidiosos siempre terminan
consumidos por su propia maldad mientras
que la inocencia y la bondad encuentran
la amistad y el amor verdadero.

El flautista de Hamelín

Quién iba a decir que en el tranquilo pueblo de Hamelín podía haber tanto revuelo: gritos, carreras y golpes... y todo se debía a una incómoda plaga de ratones que inundaban las casas, las calles, los graneros y hasta el pozo.

Los habitantes habían intentado acabar con los roedores por todos los medios imaginables, pero ninguno dio resultado y, desesperado, el alcalde prometió una gran recompensa a quien fuese capaz de eliminarlos.

Llegó entonces un flautista desconocido que decía tener la solución. Ante los asombrados ojos de los habitantes de Hamelín se puso a tocar su flauta y los ratones, hipnotizados por la música, lo siguieron en fila.

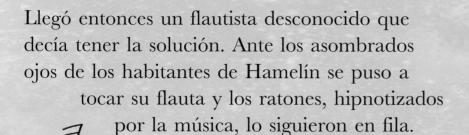

El flautista los alejó del pueblo y los llevó hasta el río y, como no sabían nadar, todos los ratoncillos murieron ahogados.

Entonces el flautista regresó y pidió al alcalde su recompensa, pero el hombre era un codicioso y no le dio lo prometido. El flautista, enfadado, empezó a tocar una extraña melodía y todos los niños del pueblo lo siguieron, hasta desaparecer en la montaña.

Solo un niño cojito, que no podía caminar tan deprisa, se quedó rezagado y no desapareció. Pero el niño se sentía muy solo y un día fue hasta la montaña muy despacio y se encontró en el suelo la flauta mágica. Empezó a tocarla y, de repente, se abrió un agujero en la roca por donde salieron los niños perdidos.

Hamelín volvió a ser un pueblo feliz y sin ratones, y desde entonces, siempre se cumple con lo prometido.

El mismo que te ayuda podría ser tu enemigo si no eres agradecido.

El gato con botas

Un joven molinero tan solo recibió de herencia el gato de la familia…

—No te preocupes —le dijo el gato—. Con unas botas y un saco conseguiré que seas rico.

Como no tenía nada que perder, el molinero confió en el gato y le dio las botas y el saco. El minino se marchó al bosque y cazó una liebre. Después, se presentó ante el rey y le ofreció su caza diciendo:

—Este es un regalo de mi amo, el marqués de Carabás.

Durante un tiempo siguió haciendo regalos al rey de parte del marqués hasta que un día el gato ordenó a su amo que se desnudara y se metiera en un lago. Así lo hizo y poco después pasó por allí la comitiva real.

—¡Auxilio, auxilio! —gritó el gato—. ¡Han robado a mi amo, el marqués de Carabás!

El rey quiso ayudar al noble que tantos regalos le había hecho y así, le entregó ricos ropajes y le invitó a subir a su carroza con su hija, la princesa.

El gato se adelantó a la comitiva real y llegó al castillo de un ogro que decía tener poder para convertirse en lo que quisiera. El astuto animal hirió su orgullo diciéndole que no creía que un ogro tan grande pudiera hacerse tan pequeño como un ratón. El ogro, para demostrar su poder, se convirtió en ratón y el gato se lo comió.

Cuando el carruaje del rey pasó por el castillo del ogro, el gato salió a recibirle diciendo que era el castillo del marqués de Carabás. Y el rey, convencido de que el joven era un rico señor, le concedió la mano de la princesa.

Y todo fue gracias a un gato muy listo.

Vale más la astucia que la fuerza.

Hansel y Gretel

Érase una vez un leñador muy pobre que tenía dos hijos: un niño llamado Hansel y una niña llamada Gretel. El hombre era viudo y había vuelto a casarse con una mujer que no quería a los niños.

Por eso, un invierno en el que estaban pasando hambre, la madrastra convenció al padre de los niños para abandonarlos en el bosque. Así lo hicieron y los pobres pequeños, perdidos, comenzaron a caminar en busca de un refugio.

A lo lejos, divisaron una casita, pero al acercarse vieron que no era una casa normal: tenía las paredes de turrón, las ventanas de caramelo, el tejado de chocolate y la chimenea, de helado.

Estaban tan hambrientos que se pusieron a comer trocitos de la pared. Entonces, una amable anciana los invitó a pasar dentro, ofreciéndoles pasteles. Pero la viejecita era en realidad una malvada bruja que solo quería comerse a los niños.

Encerró a Hansel en una jaula y puso a Gretel a cocinar para engordar al niño. Cada vez que iba a comprobar si el pequeño aumentaba de peso, el listo muchachito le mostraba un huesecillo de pollo y como la bruja no veía bien, pensaba que era el dedo del niño y que no engordaba nunca.

Cansada de esperar, la bruja decidió comérselos a los dos. Pero Gretel, engañándola, logró empujarla dentro del horno y liberó a su hermano.

Descubrieron que la bruja guardaba un tesoro en su casa, así que lo cargaron en una carretilla y echaron a andar, con tan buena suerte que dieron pronto con la casa de su padre que, arrepentido, los había buscado por el bosque y recibió una inmensa alegría cuando vio a sus hijitos sanos y salvos.

No te dejes impresionar por las apariencias: una dulce golosina puede esconder un corazón duro.

Peter Pan

Una noche cualquiera, Wendy, la hermana mayor de la familia Darling, estaba como siempre contando a sus hermanitos Juan y Miguel las hazañas y aventuras de Peter Pan, cuando de pronto, el héroe en persona apareció en su habitación con su hada Campanilla.

—¡Venid conmigo al país de Nunca Jamás! —les propuso Peter Pan.

Batiendo sus pequeñas alas, el polvillo mágico de Campanilla hizo volar a los niños hasta Nunca Jamás: una isla en la que habitaban todo tipo de personajes misteriosos: los traviesos niños perdidos, las hermosas sirenas, los salvajes indios Picaninny y, sobre todo, el malvado capitán Garfio, un pirata que acababa de raptar a la princesa india. Peter Pan se enfrentó al pirata y le venció, rescatando a la princesa. Mientras los indios celebraban una gran fiesta, Garfio prometía vengarse de él y de todos sus amigos...

Así, Garfio secuestró a Wendy y a sus hermanos, los ató al mástil de su barco y dispuso todo para echarlos por la borda y dejarlos a merced de los cocodrilos. Por suerte, el hada Campanilla fue corriendo a avisar a Peter Pan.

Justo cuando los niños iban a saltar por la borda, Peter Pan llegó volando para batirse a espada con Garfio y le venció, arrojándolo al mar, donde tuvo que nadar muy deprisa para escapar del cocodrilo.

Entonces, Campanilla envolvió con su magia todo el barco, que salió volando por el cielo hasta regresar a la casa de los Darling, donde Wendy, Juan y Miguel se despidieron de sus amigos:

¡Adiós, Peter Pan, vuelve pronto!

Los niños siempre
terminan creciendo,
pero en su interior
guardan el pequeño
que fueron y sus ganas de jugar.

33

Cenicienta

Esta es la historia de la pobre Cenicienta, una muchacha bondadosa y alegre a la que su malvada madrastra y sus dos hermanastras envidiosas la obligaban a trabajar hasta caer rendida.

Un día llegó un lacayo del rey para entregar una invitación al baile real en el que el príncipe buscaría esposa entre todas las doncellas del reino. Cenicienta peinó y vistió a sus hermanastras para la ocasión mientras ellas se burlaban de la pobre muchacha, que no podría asistir.

Cenicienta vio cómo se iban al baile y se quedó triste y sola en el jardín, cuando de repente su hada madrina se presentó ante ella.

Con un toque de su varita mágica, transformó una calabaza en una preciosa carroza y sus harapos, en un magnífico vestido.

—Vete al baile, querida —le dijo el hada–. Pero recuerda que a las doce en punto de la noche la magia acabará y todo volverá a su estado normal.

El príncipe bailó con Cenicienta toda la noche y se enamoró de la dulce muchacha, pero cuando el reloj dio las doce, Cenicienta huyó del palacio, perdiendo en la carrera uno de sus zapatos de cristal.

Al día siguiente, el príncipe ordenó que todas las doncellas del reino se lo probasen para encontrar a su dueña, pues aquella sería la doncella con la que se casaría. Cientos de muchachas hicieron cola para probarse el pequeño zapato, pero solo encajó en el pie de Cenicienta, ante la mirada envidiosa de sus hermanastras. Así fue cómo Cenicienta se casó con el príncipe y vivieron muy felices toda su vida.

La bondad y la generosidad siempre obtienen su premio, aunque encuentren muchos tropiezos en su camino.

Alicia en el país de las maravillas

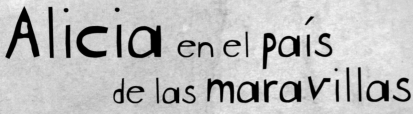

Alicia descansaba plácidamente a la sombra de un árbol, escuchando medio dormida la lección que le recitaba su hermana, cuando de repente pasó corriendo a su lado un conejo blanco que repetía…

—¡Llego tarde, llego tarde!

Alicia era una niña muy curiosa, así que decidió seguirlo hasta la madriguera. Se asomó para mirar, pero resbaló y cayó, cayó y cayó… hasta llegar a una extraña habitación.

Encima de una mesa, una botella tenía un cartel que decía: «BÉBEME». Sin pensarlo mucho, Alicia se lo bebió y empezó a encoger hasta hacerse diminuta.

Entonces vio otra bandeja con un pastel que decía: «CÓMEME». Alicia le dio un bocado, pero comenzó a crecer y crecer… ¡hasta ocupar toda la habitación!

Por fin, consiguió recuperar su tamaño normal y salir de la casa. Se encontró con una oruga gigante que fumaba en pipa, con unos alegres animalitos que organizaban una carrera loca y con una liebre de Marzo y un sombrerero loco que celebraban todos los días, menos uno: su no cumpleaños.

Buscando el camino de regreso a casa, Alicia encontró al conejo blanco en el palacio de la cruel reina de Corazones, que estaba convencida de que Alicia le había robado unas tartas, y se puso a gritar a sus naipes-soldados:

«¡Que le corten la cabeza!»

Justo cuando los naipes de la reina se abalanzaron sobre ella, Alicia despertó y comprobó aliviada que todo había sido un sueño.

Estaba de nuevo a salvo, junto a su hermana, y no eran naipes, sino hojas secas lo que caían sobre su cabeza.

Ser demasiado curioso puede hacer que te metas en muchos líos.

Los tres cerditos

C uando los tres hijos de mamá cerdita crecieron, se dieron cuenta de que no podían seguir viviendo todos juntos en su pequeña casa...

Por eso, los tres decidieron construir su propia casa, así que se despidieron de su mamá y se pusieron a caminar en busca de un buen terreno. Mientras ellos inspeccionaban el bosque, el malvado lobo los espiaba escondido...

El cerdito más pequeño, que era muy perezoso, construyó una casita de paja y como le costó muy poco tiempo hacerla, se puso a jugar con las ardillas.

El cerdito mediano, que solo pensaba en tocar la flauta, construyó su casa con madera y después se puso a tocar para las mariposas.

Pero el cerdito mayor era muy previsor y construyó una casa sólida, de ladrillos y cemento, así que estuvo mucho tiempo trabajando y no pudo ponerse a jugar como sus hermanos.

Entonces el lobo llegó a la casita del hermano menor, sopló con fuerza y, como era de paja, la derribó. Fue una suerte que el cerdito pudiera escapar corriendo y refugiarse en la casa del cerdito mediano. El lobo entonces volvió a soplar con fuerza y, como era de madera, también la derribó. Los dos cerditos huyeron asustados hasta la casa de su hermano mayor.

El lobo sopló y sopló la casita de ladrillo con todas sus fuerzas, pero no pudo derribarla, así que se le ocurrió entrar por la chimenea, pero el inteligente hermano mayor encendió el fuego, de tal manera que el lobo se quemó la cola y se marchó aullando de dolor y de rabia para no volver jamás.

Muy contentos, los cerditos aprendieron la lección y, ayudados por su hermano mayor, construyeron casas fuertes para vivir felices y tranquilos para siempre.

El esfuerzo y el trabajo bien planificado siempre se agradecen en el futuro, y es que antes está la obligación que la diversión.

La bella y la bestia

Un comerciante tenía tres hijas, pero la menor, Bella, era la más hermosa y buena. En cierta ocasión, el comerciante marchó en viaje de negocios y, al despedirse, les preguntó a sus hijas qué regalo deseaban que les trajera.

Las dos mayores pidieron joyas, pero Bella solo pidió una rosa.

En el camino de vuelta, el padre se perdió en mitad de una tormenta de nieve. Ya pensaba que iba a morir cuando llegó a un lujoso y extraño palacio en el que pudo pasar la noche sin ni siquiera haber visto al propietario.

Por la mañana, vio rosas en el jardín y cortó una para su hija Bella. En ese momento, una enfurecida Bestia le salió al paso.

—Señor –dijo el comerciante asustado–, solo he cortado una rosa para mi hija...

—Entonces solo te librarás de la muerte si viene tu hija en tu lugar –le contestó la Bestia.

Así ocurrió y Bella se trasladó al palacio de la Bestia, donde poco a poco fue conquistando su corazón hasta que un día permitió a Bella que visitara a su familia, aunque le advirtió que si no regresaba en ocho días, moriría.

Bella volvió a su hogar y estaba tan contenta con su familia, que se olvidó de la fecha. Pero la noche del octavo día soñó que la Bestia necesitaba su ayuda y acudió corriendo a su lado. Cuando llegó, la encontró al borde de la muerte y Bella rompió a llorar:

—No te mueras, por favor. Te quiero.

Y entonces la Bestia se transformó en un príncipe, porque el amor de Bella lo había librado de su terrible hechizo.

El amor convierte en hermosas a todas las personas.

Rapunzel

Había una vez un matrimonio que esperaba una hija. La mujer vio desde su ventana el huerto de su vecina, lleno de deliciosos rapunceles, y decidió que quería hacerse una ensalada con ellos, así que cortó algunos sin pedir permiso.

Entonces apareció la dueña del huerto, que era en realidad una malvada bruja.

—Como castigo, me quedaré con la hija que tengas.

Cuando la niña nació, la bruja se la llevó y la encerró en una torre sin más salida que una ventana en lo alto. La llamó Rapunzel, en recuerdo a las plantas que tan caprichosamente robó su madre. La pequeña creció y se convirtió en una hermosa muchacha y cuando la bruja iba a visitarla, para poder subir, gritaba:

—¡Rapunzel, lanza tu trenza de oro!

La muchacha soltaba desde la ventana su larguísima y gruesa trenza, y la bruja trepaba por ella.

Pero un día, un príncipe que estaba de caza por allí vio la escena y, ante la hermosura de Rapunzel, decidió subir también a la torre por el mismo procedimiento. Rapunzel y el príncipe se enamoraron y se veían todas las noches, aprovechando la ausencia de la bruja.

Pero en una ocasión, la bruja fue al anochecer y sorprendió a los amantes. Como venganza, dejó al príncipe ciego, y después le cortó a Rapunzel la trenza y la dejó abandonada en el bosque.

Pasaron los años y Rapunzel sobrevivía comiendo raíces y frutas, mientras el príncipe seguía buscándola a tientas, hasta que un día la encontró por casualidad. Rapunzel se emocionó tanto al ver a su príncipe que se puso a llorar y sus lágrimas cayeron sobre los ojos de su amado, devolviéndole la vista.

La fuerza del amor puede salvarte de cualquier desgracia.

Merlín el mago

Hace mucho tiempo, en Inglaterra, los reinos luchaban entre sí por el poder en una guerra continua. En esa época nació Arturo, el hijo del rey de Uther.

Con el fin de proteger a su hijo, el rey entregó al niño al mago Merlín, que se lo llevó a un castillo sin decir a nadie quién era. El pequeño Arturo fue educado por el mago y al mismo tiempo trabajaba como escudero de Kay, el hijo mayor del noble dueño del castillo.

Pasó el tiempo y el rey de Uther murió sin que nadie supiera que Arturo era su legítima descendencia. Entonces los nobles pidieron consejo a Merlín. El mago hizo aparecer una roca con una espada clavada en el centro y escribió debajo:

«Esta es la espada Excalibur. Quien consiga sacarla de la piedra, será el rey de Inglaterra».

Todos los nobles probaron, pero nadie consiguió sacar la espada.

Cierto día se celebraba un torneo entre caballeros en el que Kay iba a luchar, pero Arturo, entretenido con sus juegos, olvidó la espada con la que debía luchar su señor.

Temiendo el castigo que Kay le daría por su descuido, cuando vio la espada Excalibur en la roca, tiró de ella y la sacó sin ningún esfuerzo. Cuando los nobles vieron que se trataba de la espada mágica, no podían creer que un humilde muchachito fuera su rey y la volvieron a colocar en su sitio. De nuevo nadie fue capaz de sacarla, excepto Arturo.

Todos los nobles reconocieron en él al rey de Inglaterra, el gran Arturo que, con los años, fundó la Tabla Redonda y se le conoce como el monarca más justo y próspero que ha existido en el país.

Todos, hasta el niño más frágil e inocente,
podemos llevar dentro la sabiduría
y la fortaleza de un rey.

Alí Babá
y los cuarenta ladrones

Hace mucho tiempo vivieron en Arabia dos hermanos: Qasim, que era rico, y Alí Babá, que no era más que un pobre leñador.

Un día, mientras trabajaba en un paraje solitario, Alí Babá vio llegar a un grupo de cuarenta bandidos que transportaban su botín. Se pararon frente a una roca y el jefe gritó:

¡Ábrete, Sésamo!

Entonces la roca se desplazó dejando al descubierto una gruta. Una vez dentro, el jefe volvió a gritar:

—¡Ciérrate, Sésamo!

Y la roca quedó sellada como antes. Cuando los ladrones se marcharon, Alí Babá repitió las palabras del jefe y entró en la cueva. Estaba repleta de tesoros, así que se guardó algunas monedas de oro y se fue. Cuando su hermano Qasim se enteró de la aventura, tuvo envidia y fue al día siguiente a la gruta a robar tesoros para él.

Cuando iba a salir, se olvidó de las palabras mágicas y los ladrones, al regresar, lo mataron. Alí Babá fue a recuperar el cadáver de su hermano días después y cuando los ladrones vieron que el muerto no estaba, sospecharon que otra persona conocía su secreto; averiguaron que el muerto tenía un hermano y dónde vivía.

Para sorprender a Alí Babá, los ladrones se metieron en cuarenta tinajas de aceite de su bodega. Pero la criada les oyó susurrar y prendió fuego a la bodega matando a todos los ladrones, excepto al jefe, que consiguió huir.

Obsesionado por vengarse, el jefe se presentó poco después en la casa como si fuera un invitado, pero la criada lo reconoció y lo mató con una daga mientras bailaba para él. Como muestra de gratitud, Alí Babá casó a su hijo con la criada y todos vivieron felices con las riquezas de la cueva.

La envidia y la avaricia no son buenas consejeras en la vida.

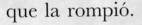

Ricitos de oro

En mitad de un bosque vivía una familia de osos: papá oso, mamá osa y el pequeño osito. Un día, mamá osa preparó una riquísima sopa, pero como estaba muy caliente, se fueron dar un paseo mientras se enfriaba.

Estando los osos ausentes, pasó por allí una niña de pelo rubio y rizado a la que todos llamaban Ricitos de oro, y como la puerta estaba abierta, entró en la casa.

Primero, la niña probó la sopa del plato grande de papá oso, pero estaba tan caliente, que lo dejó. Luego probó del plato mediano de mamá osa, pero también quemaba. Por último, probó la sopa del plato pequeño del osito, y estaba tan rica, que no dejó ni una gota.

Después de comer, se sentó en la silla grande de papá oso, pero era muy dura; se sentó en la mediana de mamá osa, pero tampoco le gustó; cuando se sentó en la pequeña, le encantó y empezó a balancearse con tal fuerza que la rompió.

Entonces subió al dormitorio. Se tumbó en la cama grande, pero era muy incómoda; se tumbó en la mediana, pero también era muy incómoda; en cambio, en la pequeña estaba tan a gusto que se quedó dormida.

Poco después volvieron los osos.

—¿Quién ha probado la sopa? —gritaron enfadados.

—¿Y quién ha roto mi silla? —lloró el osito.

Subieron al dormitorio y vieron a Ricitos de oro durmiendo, pero les pareció una niña tan bonita que se quedaron mirando sin hacer nada a pesar de su enfado. Sin embargo, cuando Ricitos se despertó, le dio tanto miedo estar rodeada de terribles osos, que salió corriendo despavorida y no paró hasta llegar a su casa.

Los que desobedecen y se apropian de aquello que no les pertenece pueden meterse en líos.

49

La princesa cisne

Cuentan que un rey perdió una guerra y su enemigo le impuso que le entregara un galeón cargado de oro.

El rey encargó la misión a su único hijo, pero durante el trayecto una tormenta le apartó de su camino hasta dar con un tétrico velero negro capitaneado por un brujo perverso que, después de apresar al príncipe, le propuso un macabro juego: quedaría libre, pero volvería en el plazo de un año para pasar unas pruebas y si no lograba cumplirlas, moriría.

Cuando volvió a la casa de su padre, pidió consejo a un sabio que le dijo:

—En la isla de Fuego habitan tres princesas cisne. Si consigues quitarle a una de ellas su vestido de cisne mientras se está bañando, ella hará que se cumplan todos tus deseos.

El príncipe esperó a que las tres hermosísimas princesas se bañaran y le quitó a la menor su vestido de cisne, con lo que quedó comprometida a ayudarle.

Entonces el príncipe regresó al velero negro del brujo.

—Te perdonaré la vida –dijo el brujo– si me traes de vuelta este anillo.

Y con gran fuerza se quitó un anillo de oro y lo lanzó al fondo del mar. El príncipe pidió ayuda a la princesa cisne.

—Para encontrar el anillo debes cortar mi cabeza de cisne y tirarla al agua. Hazlo aunque me ames y no te arrepentirás.

Luchando contra su corazón, el joven degolló al cisne y arrojó la cabeza por la borda. Tres gotas de sangre cayeron al mar provocando un torbellino del que surgieron el anillo y la princesa, ya para siempre convertida en mujer, y libres ambos de los hechizos que les mantenían prisioneros.

El amor verdadero vence siempre a la maldad.

La gallina
de los huevos de oro

En una triste cabaña de paja vivía el hombre más miserable que se pueda imaginar. No podía protegerse del frío y en vez de muebles solo tenía un jergón con una manta raída para dormir. El hombre no tenía ganado ni huerto y sobrevivía comiendo raíces y frutos del bosque.

Una noche en que no había cenado y tiritaba de frío en su mísera cama, un anciano llamó a su puerta pidiendo hospitalidad. El hombre le ofreció su pobre casa y el anciano, agradecido, le regaló una gallina.

—Esta gallina te dará muchas alegrías, pues pone un huevo cada día —dijo el anciano. Y después se marchó.

Efectivamente, al día siguiente la gallina había puesto un huevo, pero no era un huevo normal y corriente: ¡era de oro macizo!

Como la gallina ponía un huevo de oro cada día, el hombre se hizo muy rico en poco tiempo y pasó de vivir en una humilde choza a una preciosa y próspera granja.

Pero entonces pensó que era una auténtica tontería trabajar si poseía tantas riquezas y se compró un palacio donde pasaba el tiempo rodeado de lujos.

La riqueza despertó en él una ambición desmedida y empezó a soñar con la posibilidad de convertirse en rey. Para ello necesitaba un gran ejército y eso era carísimo, así que, en su impaciencia, pensó: «la gallina debe de tener un depósito de oro en la barriga. ¿Por qué esperar a que ponga un huevo si puedo conseguirlo todo de una sola vez?».

Y le retorció el pescuezo al animal para apoderarse de su tesoro. Y en ese momento todo —el palacio, las riquezas y los huevos de oro— desapareció para siempre.

Es mejor estar satisfecho con lo que se tiene que perderlo todo por la impaciencia y la codicia.

La princesa y el guisante

Hubo una vez un príncipe que quería casarse, pero no podía hacerlo con una princesa cualquiera: tenía que ser una verdadera princesa.

Muchas jóvenes se presentaron ante el príncipe con la ilusión de ser las elegidas, pues el joven era apuesto y muy rico, pero para él todas tenían defectos, así que siguió soltero.

Una noche en la que una gran tormenta sacudía el bosque, se hallaba el príncipe con su séquito cenando en el castillo, cuando llamaron a la puerta.

—Es una muchacha —informó el guardián— que dice ser una princesa perdida y pide vuestra hospitalidad, señor.

El príncipe mandó que atendieran a la muchacha, que a pesar de venir empapada, no podía ocultar su gran belleza. La vistieron con un precioso vestido y la invitaron a cenar junto al príncipe. Todo en ella parecía perfecto: era hermosa, bien educada, graciosa e inteligente. Pero el príncipe no estaba del todo convencido de haber encontrado a una verdadera princesa, así que le tendió una trampa.

Fue a la alcoba de la muchacha y, debajo de los 20 colchones de su cama, colocó un guisante. A la mañana siguiente le preguntó a la princesa si había dormido bien.

—No me consideréis maleducada, señor —respondió ella—, pero no he podido pegar ojo en toda la noche. Algo terriblemente duro se me clavaba en la piel y por su culpa tengo todo el cuerpo lleno de moratones.

Así supo el príncipe que ella era quien buscaba, pues solo una verdadera princesa tendría la piel tan delicada como para notar un guisante debajo de 20 colchones.

Las personas verdaderamente especiales no lo son por su educación o su belleza, sino por su delicadeza.

El traje nuevo del emperador

Me contaron una vez que existió un poderoso emperador bastante presumido que, un día, decidió encargar un traje nuevo cortado a medida que le hiciera parecer aún más majestuoso.

Muchos sastres se presentaron en su salón con la promesa de coser el mejor traje, pero el emperador se dejó convencer por dos bribones que decían ser sastres y poder tejer la tela más preciosa y el traje más maravilloso.

—Nuestro traje —prometieron al rey— solo lo pueden ver las personas inteligentes. Así vuestra majestad sabrá cuáles de sus sirvientes son dignos o indignos de su cargo.

El rey dispuso un salón para que aquellos dos timadores trabajaran y les dio mucho oro para comprar todos los materiales que necesitaran.

Pasaron los días y el rey ya estaba nervioso pensando en cómo sería su traje nuevo, cuando los dos estafadores le llamaron.

—El traje está listo —le dijeron señalando una percha vacía.

El rey no veía ningún traje, pero recordó que solo podían verlo las personas inteligentes, y como no quería que los demás pensaran que era un necio incapaz de verlo, disimuló y ensalzó un tejido que no existía. Después, no dudó en desnudarse y simular también que se ponía el traje.

Así, desnudo, salió a la calle, donde los habitantes no se atrevían tampoco a decir que no veían el traje por miedo a parecer estúpidos.

Todos callaron, menos los niños, que empezaron a reírse y a burlarse de la desnudez del rey, mostrándoles a todos lo vergonzosa que era su simulación y dejándoles en ridículo.

El que escucha demasiados halagos cae fácilmente en la estupidez.

Pulgarcito

En un remoto bosque vivían una pareja de pobres leñadores y sus siete hijos. El más pequeño de los hermanos era muy chiquitín y por eso lo llamaban Pulgarcito.

Sin embargo, todo lo que tenía de pequeño lo tenía de listo y, por eso, una noche en la que oyó a sus padres planear abandonarlos en el bosque, salió fuera, se llenó los bolsillos de piedras blancas y esperó.

Cuando al día siguiente sus padres los abandonaron en el bosque, todos se echaron a llorar, pero Pulgarcito, que había ido dejando caer las piedrecitas, encontró fácilmente el rastro para regresar a casa.

Pasó el tiempo y cuando Pulgarcito volvió a escuchar a sus padres tramar lo mismo, quiso recoger piedras, pero encontró la puerta cerrada, así que cuando les llevaban hacia el bosque fue dejando caer las migas del pan de su almuerzo.

Desgraciadamente, los pájaros se las comieron y los niños no pudieron regresar a su casa.

Caminando, encontraron otra casa y llamaron a la puerta. Les abrió una mujer, que les dijo:

—Pobrecillos. Esta es la casa de un ogro comeniños, pero yo os esconderé.

Los niños entraron a calentarse y se escondieron cuando llegó el ogro, pero de nada sirvió: su olor les delató y el ogro los encerró en el sótano para comérselos después. En el sótano había también siete ratas bien gorditas, así que Pulgarcito y sus hermanos les cambiaron el sitio y cuando el ogro entró a comérselos, se confundió y se comió a las ratas.

Pulgarcito y sus hermanos aprovecharon para robar al ogro todos sus tesoros y se marcharon a toda prisa, y nunca más volvieron a pasar hambre ni necesidades.

Quien se burla de los que son débiles o pequeños, debe saber que pueden ser capaces de vencer a ogros y gigantes.

La Bella durmiente

Los reyes de un lejano país, tras muchos años de espera, por fin vieron colmados sus sueños con el nacimiento de una niña.

Al bautizo de la princesita invitaron a todas las hadas del lugar para que cada una de ellas le otorgara un don. Pero, desgraciadamente, olvidaron invitar a la bruja Maléfica que, enojada, se presentó en la fiesta y lanzó una maldición sobre la princesa:

«¡El día que cumpla quince años, se pinchará el dedo con el huso de una rueca y morirá!».

Un hada que aún no había otorgado su gracia a la niña, suavizó el conjuro: «La princesa no morirá, sino que dormirá durante CIEN años hasta que un beso de amor sincero la despierte».

Ese mismo día se prohibieron las ruecas y los husos en el reino, el tiempo fue pasando y la princesa creció... hasta cumplir quince años. Ese mismo día, la joven se encontró con una anciana que estaba cosiendo con una vieja rueca.

La inocente princesa, muerta de curiosidad, puso un dedo sobre la aguja, se pinchó y quedó tendida allí mismo, totalmente dormida, cumpliéndose el maleficio de la bruja, que no era otra que la anciana disfrazada.

Vestida y adornada con sus mejores galas, acostaron a la princesa y el hada hizo dormir a todo el reino, de manera que solo despertarían cuando lo hiciera la princesa. Así pasaron cien años, hasta que un príncipe pasó cerca del castillo cubierto de maleza y olvidado por todos. El valiente príncipe entró y, al llegar a la cámara real, vio a la bella durmiente tan hermosa, que se inclinó y la besó dulcemente. Ella despertó y, junto a ella, todos los habitantes del reino, muy felices por poder celebrar la boda de su princesa con su salvador.

Ten paciencia, porque el verdadero amor siempre acaba por llegar y, seguramente, no tendrás que esperarlo cien años.

Pinocho

El humilde carpintero Geppetto había pasado todo el día construyendo una marioneta de madera, tan bien tallada que cuando terminó su trabajo pensó que realmente parecía de verdad.

—Te llamaré Pinocho —dijo Geppetto, antes de irse a dormir.

Aquella noche, el hada azul, conmovida por la bondad de Geppetto, quiso hacerle un regalo y tocó al muñeco con su varita mágica otorgándole la vida.

—Si te portas bien —le dijo—, algún día serás un niño de verdad y no de madera.

Además, encargó a Pepito Grillo que cuidara de él.

Por la mañana, Geppetto, feliz con aquel inesperado hijo, mandó a Pinocho al colegio. Pero por el camino el pequeño se encontró con dos malvados que le convencieron para irse con ellos.

Llevaron a Pinocho con un titiritero, que vio la posibilidad de ganar mucho dinero exhibiéndole como una marioneta. Pero de todo lo que lloró, el hombre sintió pena por él y lo dejó marchar.

Pepito Grillo le regañó por su comportamiento y le dijo que no se dejara llevar por los consejos de los extraños.

Pinocho volvió a casa, pero a la mañana siguiente tampoco llegó al colegio: se dejó engañar de nuevo por un hombre que le prometió llevarle al país de la felicidad, un mundo lleno de dulces y juguetes...

Pinocho no se pudo resistir y se fue con él. Pero aquel sitio en realidad era una auténtica pesadilla: ¡allí a los niños les crecían orejas de burro por no estudiar!

El hada azul acudió a rescatarle, pero cuando le preguntó qué había pasado y qué eran aquellas orejas de burro, Pinocho, por vergüenza, se puso a mentir, y entonces le empezó a crecer y a crecer la nariz, hasta que confesó la verdad y prometió que se portaría bien.

Pero al día siguiente Pinocho faltó a su promesa y se volvió a escapar… Esta vez acabó en un circo, donde un malvado domador le maltrataba.

Pinocho huyó lanzándose al mar, donde se lo tragó una ballena, con tan buena fortuna, que en su interior estaba Geppetto, el cual, preocupado por Pinocho, había ido a buscarle por tierra y por mar, y se lo había tragado la misma ballena. Cuando el animal abrió la boca, ambos salieron libres.

Al ver el arrepentimiento sincero del pobre Pinocho, el hada volvió a tocarle con su varita y le convirtió en un niño de verdad.

La mentira y la falta de responsabilidad siempre nos acarrean desgracias.